Collana di letture graduate per stranieri

diretta da

Maria Antonietta Covino Bisaccia

docente presso l'Università per Stranieri di Perugia

GASPARO GOZZI

La risposta della serva

━━━◦◦◦◦◦◦◦━━━

Novella d'amore

a cura di

Maria Antonietta Covino Bisaccia

Maria Rosaria Francomacaro

G EDIZIONI
GUERRA

ISBN 88-7715-392-X

Disegni di *Vittorio Scappaticcio e Michele Bisaccia*

In copertina:
Canaletto, *Il molo, con la libreria e la colonna di San Teodoro, verso ovest* (1735 ca.), Roma, collezione Albertini.

Indice

Gasparo Gozzi

GASPARO GOZZI *

Gasparo Gozzi nasce a Venezia nel 1713 da una famiglia ricca e nobile, ed è il primo di undici figli.

I problemi economici, derivati dalle spese poco attente del padre, non mancano, ma non gli impediscono di terminare gli studi e di dedicarsi alla letteratura dapprima per pura passione, in seguito per mestiere.

Gozzi è conosciuto dal grande pubblico come il primo grande giornalista italiano.

Nel 1760, infatti, fonda e dirige la *Gazzetta Veneta*, un giornale su cui Gozzi scrive di tutto, dalle notizie alle cronache e ai divertenti racconti.

Quando la *Gazzetta Veneta*, dopo un anno, non viene più pubblicata, Gozzi fonda un nuovo giornale, l'*Osservatore*, che ricorda molto da vicino, anche più della *Gazzetta*, lo *Spectator*, un quotidiano inglese fondato nel 1711 a Londra da J. Addison e R. Steele, e che molti dei giornali italiani del Settecento prendono come modello.

Nell'*Osservatore* (1761-1762) Gozzi riserva maggiore spazio agli scritti di carattere morale e di fantasia.

Sceglie sempre gli argomenti più comuni e si diverte ad osservare il comportamento degli uomini, le loro virtù ed i loro vizi, come risulta evidente nei famosi ritratti di personaggi tipici della società a lui contemporanea, che Gozzi dipinge con attenzione. Il suo stile è facile e semplice.

Sebbene gli anni dell'attività giornalistica costituiscano senza dubbio il momento più felice della sua carriera, Gozzi scrive anche opere in versi come le *Rime piacevoli* (1751) e i *Sermoni* (1763). Molto nota al grande pubblico è la *Difesa di Dante* del 1757, in cui prende le difese del grande poeta toscano.

Gozzi non trascorre una vita serena a causa delle difficoltà finanziarie e delle preoccupazioni che gli dà la sua numerosa famiglia. Soffre spesso di crisi depressive e una volta cerca anche di togliersi la vita.

Dopo la morte della prima moglie, Luisa Bergalli, sposa la francese Sara Cénet e va a vivere a Padova, dove muore nel 1786.

* *Gasparo* oggi, Gaspare

Pietro Longhi, *Il gioco della pentola* (particolare), 1744.

LA GAZZETTA VENETA

Il primo numero della *Gazzetta Veneta* uscì il 6 febbraio del 1760 al prezzo di cinque soldi.

Questo giornale aveva principalmente carattere commerciale. Vi si poteva trovare "tutto quello che c'è da vendere, da comprare, da dare in affitto, le cose particolari, quelle perdute, quelle ritrovate, a Venezia, o fuori Venezia, il prezzo delle merci, il valore dei cambi, ed altre notizie, in parte di puro divertimento, in parte utili al pubblico".

Questi annunci insieme alle notizie di cronaca, agli avvisi di carattere pratico e alle brevi storielle ci permettono di conoscere a fondo la vita veneziana di quel tempo. Gozzi, infatti, riteneva che fosse più utile e importante conoscere i fatti e le vicende del posto in cui si viveva piuttosto che essere a conoscenza di tutto quello che accadeva nel resto del mondo.

Gozzi sin dal primo numero chiese la collaborazione e il contributo dei lettori, ma, nonostante gli annunci venissero pubblicati gratuitamente, era difficile riceverne tanti da riempire le otto pagine del giornale, che usciva due volte alla settimana, il mercoledì ed il sabato.

Per questa ragione Gozzi diede sempre più spazio ai racconti, ai dialoghi, ai fatti di cronaca cittadina, alle critiche artistiche e teatrali, agli annunci della pubblicazione di nuovi libri, ecc. L'unico argomento assente dalle pagine della *Gazzetta* era la politica.

Gozzi non inventava le sue storie: lui riferiva soltanto fatti realmente accaduti per le strade di Venezia. I due racconti *La risposta della serva,* apparso nel n° 60 del 30 agosto 1760, e *Novella d'amore,* contenuto nel n° 68 del 27 settembre dello stesso anno, descrivono fatti, ambienti e personaggi tipici della Venezia di quell'epoca. In questi, come negli altri racconti, l'obiettivo era di divertire il pubblico narrandogli i fatti della vita di ogni giorno.

Gli argomenti contenuti nel giornale erano molto vari e sempre diversi, in modo da interessare tutti i lettori, senza differenza di età, sesso e condizione sociale: ognuno di loro avrebbe potuto trovare nel giornale qualcosa di utile e interessante. Per questa stessa ragione le pagine della *Gazzetta* erano scritte in una lingua semplice, in cui erano presenti anche molte espressioni del dialetto veneziano.

La risposta della serva

Legenda:

Il trattino sotto alcune vocali vuole indicare la sillaba su cui cade l'accento tonico.

Di solito, però, in italiano l'accento tonico cade sulla penultima sillaba.

In questo testo, di livello intermedio, l'accento tonico non è stato segnato sotto le forme verbali, fatta eccezione per quelle accompagnate da pronomi e per l'infinito.

La risposta della serva

I cervelli dei mariti sono talvolta così *lunatici* e strani, che io non so quale consiglio si possa dare alle loro mogli perché possano vivere in pace con loro. Io non nego che anche fra le mogli vi siano alcune donne *capricciose* e lunatiche; ma questa volta la ragione è dalla loro parte, in quanto la storia che io racconterò parla della *fantasticheria* di un marito.

Il modo di fare *abituale* di quest'uomo onesto, a quanto mi riferiscono, è il *borbottare* per ogni cosa, tanto che neppure il sole e la luna sono come lui li vorrebbe; vuole che sia *amaro* lo zucchero e dolce il sale, e perde il suo tempo in *cavilli* e in discussioni.

Poiché tutti lo sfuggono e se ne allontanano come ci si allontana dal fuoco, e appena comincia a parlare ognuno se ne va via in fretta, come fanno le *colombe* al rumore

colomba

---

lunatico chi cambia spesso idea o chi ha idee originali, bizzarre, fuori del comune
capriccioso chi fa i capricci, chi ha desideri improvvisi, di breve durata, irragionevoli
fantasticheria qui, stravaganza, bizzarria, stranezza, eccentricità
abituale ciò che si fa per abitudine
borbottare lamentarsi, mostrarsi non contento di qualcosa
amaro non dolce
cavillo argomento, discussione sottile che ha lo scopo di creare ostacoli, di perdere tempo o di ingannare

di un'*archibugiata*, si tiene i problemi dentro di sé e, per non scoppiare, *si sfoga* in casa sua con la moglie e con la giovane serva, le quali quanto più cercano di fare le cose come lui le vuole e renderlo contento, tanto meno vi riescono.

Quando torna a casa, lo sentono borbottare da lontano, come il cattivo tempo, quando è ancora a cento passi di distanza, e sono incerte se devono tirare la corda del *saliscendi* e aprirgli, o lasciare che sia lui ad aprire l'uscio; e sia che facciano l'una o l'altra cosa, lui sale *sbuffando* come un *istrice*.

istrice

Alcuni giorni fa lui uscì di casa molto nervoso; dopo circa un'ora *bussò* all'uscio un uomo che portava un *brancino* che pesava parecchie *libbre*.

La giovane serva scese le scale e domandò chi mandava quel pesce. L'uomo rispose: "Lo manda il padrone di casa alla moglie per farle un dono, e manda a dire che lo

---

archibugiata colpo di archibugio (l'archibugio è un'antica arma da fuoco)
sfogarsi manifestare il proprio stato d'animo senza misura, abbandonando ogni riguardo, per liberarsi di una tensione o ansia interna
saliscendi un sistema per aprire e chiudere porte e finestre
sbuffare mandare fuori il fiato a grandi soffi, come fa chi perde la pazienza o si annoia
bussare battere ad una porta per farsi aprire
brancino (voce veneta) un tipo di pesce
libbra antica unità di misura di peso corrispondente a circa mezzo chilo

cucini, perché vuole mangiarlo oggi a pranzo"; e detto questo sparì.

La giovane serva tornò su e gridò: "Oh, che meraviglia è mai questa! Il padrone vuole forse morire, visto che ha abbandonato le sue abitudini: oh padrona, oh padrona!"

"Cos'è questo rumore? Sei diventata pazza?" disse l'altra.

"Come, cos'è? Non vedete che bel pesce *vi* manda a regalare vostro marito?"

Alla buona donna, che non era abituata a ricevere *gentilezze* dal marito, parve di *toccare il cielo con un dito*, e ne fu così lieta, come di solito è chi riceve gentilezze da certi *orsi* che non ne fanno mai. E dopo che ebbe guardato e ammirato il pesce, domandò alla serva: "Che ne faremo?"

orso

La serva rispose: "Lui ha mandato a dire che si cucini per l'ora del pranzo."

"Bene; ma come si deve cucinare?"

"Non lo so: l'uomo non disse altro, se non che bisogna cucinarlo per ordine di vostro marito."

"Ohimè - gridò la moglie - tu mi hai rovinata! Stupida, perché non gli domandasti se lui aveva detto di cucinare il pesce *lesso*, *affettato*, *arrosto* o in altro modo? Noi non lo cucineremo mai come lui desidera e avremo una

---

vi a voi; "voi" è un'antica forma di cortesia usata invece del Lei; nel Sud dell'Italia ancora oggi il suo uso è abbastanza comune
gentilezza qui, azione gentile
toccare il cielo con un dito (modo di dire) essere molto felice
orso qui, persona chiusa che non ama stare con gli altri
lessare cucinare un cibo nell'acqua bollente
affettare tagliare a fette un cibo, per es. il pane o il salame
arrostire cucinare un cibo mettendolo a diretto contatto con il fuoco

una tale *tempesta* di *rinfaccia-
menti* negli orecchi, che io pre-
ferirei essere *sorda*."

Alla serva parve di aver sba-
gliato a non aver fatto questa do-
manda all'uomo che aveva portato il pesce; ma alla fine, quando le sembrò di aver trovato una
soluzione, disse alla padrona:
"Perché siamo così preoccupate?
Questo pesce è così bello e gros-
so, che si può cuocere in più
modi e portarlo in tavola in tanti
modi diversi così che il *bestione*
ne sia contento."

Alla donna sembrò che di-
cesse il vero; e così la giovane

paiuolo

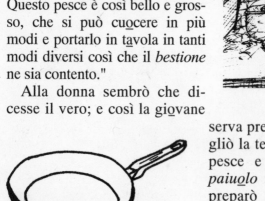

tegame

serva prese il coltello, ta-
gliò la testa e la coda del
pesce e li mise in un
paiuolo per farli lessi;
preparò parecchie *fette*
per arrostirle, e un pezzo
lo mise in un *tegame* con
una certa *salsa* fatta da

tempesta qui, grande quantità
rinfacciamento atto del rinfacciare, cioè ricordare a una persona che non ha
agito bene
sordo persona che non sente
bestione persona grande nel fisico, poco gentile e poco intelligente; qui, natu-
ralmente, la serva si riferisce al padrone
paiuolo forma letteraria per paiolo, che era una grande pentola di rame usata
nelle vecchie cucine
fetta pezzo di cibo tagliato come, per esempio, una fetta di prosciutto, di pane,
ecc.
salsa condimento che si usa per aggiungere sapore ad un cibo, per es. salsa di
pomodoro

lei e della quale altre volte il padrone non aveva detto né bene né male, e questo era segno di *approvazione*.

Mentre lei si dedicava con grande attenzione a cucinare il pesce nei tre modi, la moglie, che aveva un figlio di forse due anni, con lo stesso carattere cattivo del padre e che aveva sempre la gola aperta per gridare, aveva messo il bambino sopra il *tappeto* che copriva il tavolo, e stava scherzando con lui e lo stava *vezzeggiando* affin-

tappeto

approvazione l'atto di approvare, esprimere accordo su qualcosa
vezzeggiare usare modi affettuosi e pieni di amore con qualcuno, specialmente bambini

ché tacesse. Scherza di qua e cuoci di là, ecco che le due donne sentirono il *fischio* del marito: le loro orecchie si tesero. Ohimè, lui era arrivato e non avevano ancora *apparecchiato* la tavola.

La porta si aprì: lui andò a spogliarsi in una stanza a piano terra e nell'entrarvi gridò: "A tavola!".

La serva corse a stendere la tovaglia sulla tavola; ma il bambino, a causa degli *sforzi* che aveva fatto nel gridare, aveva *sporcato* il tappeto sotto di sé con un tipo di sostanza che è meglio non nominare.

A questo punto cosa fare? La serva in fretta *appallottolò* il tappeto, lo gettò in un angolo della cucina, stese la tovaglia sulla tavola, che era ormai senza tappeto, e la apparecchiò.

Il marito salì e si sedettero a tavola. Fu servita la *minestra*, e al primo cucchiaio il marito cominciò a borbottare dicendo che non aveva altro sapore che di acqua; e con la mano allontanò il piatto. Quindi arrivarono in tavola la testa e la coda del pesce, lessi: lui

---

fischio suono lungo e acuto che una persona può produrre con la bocca
apparecchiare preparare la tavola per mangiare, mettere sulla tavola tutto ciò che serve per mangiare
sforzo l'atto di sforzarsi, mettere impegno nel fare qualcosa
sporcare il contrario di pulire
appallottolare ridurre in forma di palla
minestra primo piatto a base di pasta, riso, legumi, verdure cotte nel brodo di carne o nell'acqua con qualche condimento

guardò nel piatto, strinse le labbra, alzò gli occhi e sbuffò. "Lesso! Ma guarda un po' con quali persone stupide devo avere a che fare!"

"L'abbiamo fatto lesso - disse la moglie - come lo volevate voi?"

"Oh, non sapete, *cervelli di gallina,* che un così bel pesce doveva essere affettato e arrostito?"

"Certamente! Infatti c'è anche dell'arrosto - disse la moglie - Lucia, portaci l'arrosto."

Arrivò Lucia con un bel piatto che fumava e mandava un odore che *solleticava il palato*. Il marito ne sentì l'odore e gli parve che sapeva di bruciato; allora gridò come un *invasato*: "Almeno avessi fatto

gallina

quella tua salsa: che sia *maledetto* il momento in cui spesi i miei denari per comprare questo così bel pesce, che ora dobbiamo buttare o dare al gatto: oh, il mio denaro gettato al vento!"

Nel frattempo Lucia andò a prendere il tegame per portarlo in tavola; ma arrivò in un brutto momento, in quanto più la moglie lo pregava di calmarsi, più lui *montava su tutte le furie* e *bestemmiava*; e così, quando arri-

---

cervello di gallina si dice di una persona poco intelligente; la gallina è considerata un animale stupido
solleticare il palato far venire voglia di mangiare qualcosa
invasato pazzo
maledetto cosa o persona che si maledice
montare su tutte le furie provare molta rabbia e reagire in modo violento
bestemmiare usare un'espressione contro Dio, la Madonna, i santi e tutto ciò che riguarda la religione

vò la serva e gli presentò il tegame, poco mancò che glielo lanciasse in faccia; a quel gesto la giovane serva, veramente arrabbiata, gli disse: "Che diavolo dunque volete voi, visto che il pesce non vi piace né lesso, né arrosto, né in alcun altro modo?"

"Io voglio - rispose il padrone quasi fuori di sé - voglio della..."

Al che la giovane serva rispose: "E ce n'è anche di quella", e andò a prendere il tappeto che il bambino aveva appena sporcato.

Esercizi

1. Scelta multipla

1. Tutti si allontanano dall'uomo perché

   a. si lamenta sempre.

   b. non parla dei suoi problemi.

   c. parla continuamente.

2. Quando portarono il pesce, la serva fu contenta perché pensò che

   a. il padrone fosse morto.

   b. il padrone fosse cambiato.

   c. il padrone avesse fame.

3. Quando il marito tornò a casa

   a. la serva stava apparecchiando.

   b. la serva stava giocando con il bambino.

   c. la serva stava cucinando.

2. Rispondi alle domande

1. Perché il marito è definito lunatico?

_____

2. Perché il marito si teneva i problemi dentro?

_____

3. Perché la moglie era tanto contenta?

_____

4. In quanti e quali modi la serva e la moglie decisero di cucinare il pesce?

_____

5. Cosa faceva la moglie mentre la serva cucinava?

_____

6. In quale modo si doveva cucinare il pesce secondo il marito?

_____

7. Quando Lucia servì l'arrosto, questo era caldo o freddo?

_____

8. Che cosa significa che il marito ha gettato il suo denaro al vento?

_____

3. Trova nel testo i verbi al passato remoto e scrivine l'infinito

Pass. remoto	Infinito
uscì	*uscire*
_____	_____
_____	_____
_____	_____
_____	_____
_____	_____
_____	_____
_____	_____
_____	_____
_____	_____
_____	_____
_____	_____
_____	_____
_____	_____
_____	_____
_____	_____
_____	_____
_____	_____
_____	_____
_____	_____
_____	_____
_____	_____
_____	_____
_____	_____
_____	_____
_____	_____
_____	_____

4. Coniuga il verbo riflessivo in parentesi, come nell'esempio:

> Le persone (allontanarsi) *si allontanano* da lui perché ha un carattere difficile.

1. Maria (sfogarsi) _____ sempre con me dei suoi problemi di lavoro.

2. Ti prego di (calmarsi) _____ !

3. Gli spaghetti (scuocersi) _____ : non ci rimane che buttarli o darli al gatto!

4. Per quanto (sforzarsi) _____ non riusciamo a studiare.

5. (Accomodarsi) _____ , prof. Bianchi, che le verso da bere.

6. Quando (spogliarsi) _____ , ricordate di chiudere le tende.

7. (Tenersi) _____ da parte, questa storia non ti riguarda!.

8. Con mio marito (confidarsi) _____ facilmente: posso raccontargli tutto.

9. (Dedicarsi) _____ con passione allo studio dell'italiano perché è la lingua dei nostri nonni.

10. Anche se fate degli errori, non dovete (vergognarsi) _____ ma dovete continuare a parlare.

5. Essere o avere?

Completa con le forme dell'ausiliare giusto

1. La minestra non gli è piaciuta, così _____ allontanato da sé il piatto.

2. La serva si _____ sforzata inutilmente di accontentare il padrone.

3. Le preghiere della moglie non _____ calmato la sua rabbia.

4. Finalmente la tempesta si _____ calmata.

5. Luigi _____ lavato le mani al fratellino e poi l'ha portato a tavola.

6. Luigi si _____ lavato e poi è andato a letto.

7. A causa del traffico mi _____ svegliato prestissimo.

8. Il traffico di questa mattina mi _____ svegliato troppo presto.

9. Vi _____ puliti le scarpe prima di entrare?

10. Avevate le scarpe molto sporche. Le _____ pulite prima di entrare?

6. I seguenti verbi hanno sia la forma transitiva che quella riflessiva. Scrivi una frase per ogni forma

> **bagnare / bagnarsi**
> a. *Ho bagnato la tovaglia con il vino.*
> b. *A me non piace portare l'ombrello perciò mi bagno sempre quando piove.*

1. guardare / guardarsi

   a. _____

   b. _____

2. girare / girarsi

   a. _____

   b. _____

3. pettinare /pettinarsi

   a. _____

   b. _____

4. ricordare / ricordarsi

   a. _____

   b. _____

5. sposare / sposarsi

   a. _____

   b. _____

6. ferire / ferirsi

    a. _____

    b. _____

7. aiutare / aiutarsi

    a. _____

    b. _____

8. cambiare / cambiarsi

    a. _____

    b. _____

9. vestire / vestirsi

    a. _____

    b. _____

10. fermare / fermarsi

    a. _____

    b. _____

7. Coniuga al congiuntivo imperfetto i verbi in parentesi

1. La serva pensava che il padrone (volere) _____ morire.

2. La moglie si chiedeva in che modo il marito (desiderare) _____ mangiare il pesce.

3. Alla moglie sembrò che la serva (avere) _____ ragione.

4. La moglie scherzava con il bambino affinché questi non (piangere) _____ .

5. Quando il marito assaggiò la minestra, gli sembrò che (sapere) _____ di acqua.

6. Vorrei che tutti (arrivare) _____ puntuali alla lezione.

7. Pensavamo che in Italia si (mangiare) _____ solo spaghetti, ma ci sbagliavamo.

8. Desidererei che voi (parlare) _____ uno alla volta.

9. Sarebbe meglio che tu (frequentare) _____ un corso di lingua prima di partire.

10. Credevo che voi (essere) _____ già partiti. Come mai siete ancora in città?

8. Indicativo o congiuntivo?

Sottolinea la forma giusta.

1. Credo che *è/sia* malato: ieri era molto raffreddato.

2. Vorrei che tutto *andava/andasse* bene!

3. Non avresti paura dell'esame se *sarai/fossi* preparato.

4. Non nego che tu *puoi/possa* essere sincero.

5. E' chiaro che *stai/stia* meglio.

6. Ritengo che tu *devi/debba* andare dal medico.

7. Sono sicura che non *finge/finga* di essere malato.

8. Nella mia famiglia mia madre è l'unica che mi *capisce/capisca*.

9. Anche se *era/fosse* molto stanca, volle darci una mano.

10. Anche se lo *invitate/invitaste* lui non si fermerebbe a cena.

9. Collega i seguenti modi di dire con la spiegazione giusta

1. essere un istrice
2. essere sano come un pesce
3. essere un orso
4. essere una colomba
5. essere una bestia
6. essere solo come un cane
7. essere a cavallo
8. essere in quattro gatti
9. essere uccel di bosco
10. essere figlio della gallina bianca

a. trovarsi in una posizione favorevole, positiva
b. essere in pochissimi
c. essere del tutto solo, senza amici
d. avere un carattere difficile
e. ritenere di aver diritto a particolari privilegi
f. godere di ottima salute
g. essere poco socievole
h. essere una persona difficile da trovare
i. essere ignorante e violento
l. essere una persona mite, semplice e pacifica

1. _____; 2. _____; 3. _____; 4. _____; 5. _____;

6. _____; 7. _____; 8. _____; 9. _____; 10. _____.

10. Completa le frasi con i seguenti verbi:

> *stringere - arricciare - aggrottare - strizzare -*
> *rimanere - digrignare - sbuffare - alzare*

Ricorda di coniugare i verbi dove è necessario!

1. A Maria è piaciuto moltissimo il tuo regalo. Infatti per la sorpresa _____ a bocca aperta.

2. Il mio capo ha idee molto diverse dalle mie: ogni volta che propongo qualcosa di nuovo lui _____ il naso.

3. Anche se sei preoccupata, cerca di non _____ la fronte! Altrimenti ti verranno le rughe.

4. Quando lui le _____ l'occhio, Giuliana è diventata rossa.

5. Quando arrivò la minestra lui guardò nel piatto, _____ le labbra e, disgustato, disse che non gli piaceva.

6. Anche se _____ i denti per la rabbia, non mi fai paura!

7. Capisco che ti annoi, ma è inutile _____ .

8. Hai ragione tu, _____ le braccia!

11. **Le seguenti parole composte sono formate da *verbo + verbo*. Scrivi l'infinito dei verbi che le compongono e forma delle frasi in cui queste parole siano usate in modo appropriato**

1. Saliscendi _____ + _____

_____

2. Dormiveglia _____ + _____

_____

3. Pigiapigia _____ + _____

_____

4. Andirivieni _____ + _____

_____

5. Parapiglia _____ + _____

_____

6. Fuggi fuggi _____ + _____

_____

7. Mangiaebevi _____ + _____

_____

8. Tiremmolla _____ + _____

_____

Novella d'amore

Novella d'amore

Certamente tutti conoscono *Capodoca "don Giovanni"*, il quale ha un *cervello di gallina* e pensa sempre ora a questa donna, ora a quell'altra; tanto che non ha tempo di pensare a sé, e tutto quello che fa, lo fa come gli capita, cioè a caso.

oca

gallina

Trascorre giorno e notte a raccontare a tutti i suoi amici le belle *avventure* che ha avuto; e se una donna lo guarda per un solo momento, lui se ne va con il *cembalo in colombaia* e lo fa sapere a tutti, *interpretando* uno sguardo in un modo così sottile e penetrante, che nemmeno *Ficino* usava per interpretare *Platone*.

Avvenne, dunque, per caso, che due o tre mesi fa i suoi occhi si incontrarono con quelli di una giovane ve-

---

Capodoca testa di oca; l'*oca* è ritenuta un uccello stupido e rumoroso. Probabilmente lo scrittore ha voluto definire, anche con il nome, il carattere e le principali "qualità" del personaggio

don Giovanni protagonista di varie opere letterarie e musicali. Capodoca si ritiene, e si comporta come, un dongiovanni, cioè un seduttore, un uomo che conquista ed ha molte donne, al quale le donne non sanno dire di no

avere un cervello di gallina avere un cervello molto piccolo, cioè essere poco intelligente

avventura qui, relazione d'amore breve e non seria

andare con il cembalo in colombaia espressione non più usata, che significa rendere pubblico un avvenimento; letteralmente significa salire sul tetto della casa e suonare il cembalo (vedi illustrazioni a p. 38)

interpretare capire, spiegare, commentare

Marsilio Ficino filosofo e letterato italiano (1435-1499)

Platone filosofo greco (428-347 a.C.)

ramente bella e gentile, che qui molti conoscono e giudicano come una delle più perfette ed eleganti bellezze del paese.

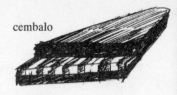
cembalo

Capodoca se ne innamorò moltissimo, al punto che non sapeva vivere senza vederla; e dove lei non c'era, gli pareva che ci fosse solitudine e buio.

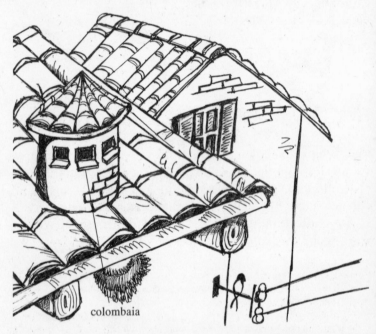
colombaia

Per questo mise in atto certi suoi sistemi che non so se definire stupidi o sottili: incominciò a frequentare i posti che frequentava lei e, a poco a poco, a dirle alcune parole, e alla fine a *starle alle calcagna* in ogni posto dove lei andava.

---

stare alle calcagna seguire da vicino qualcuno; il calcagno è l'osso posteriore del piede (plurale *i calcagni* o, in senso figurato, *le calcagna*)

Lei, che si era accorta di questo e in parte si divertiva per il modo di fare di lui, che le pareva nuovo, l'ascoltava, ma rispondeva poco o nulla, o talvolta rideva.

Capodoca interpretava tutte queste cose a suo favore, e ogni giorno dimostrava una passione più intensa e più forte.

E' inutile aggiungere altro. Oramai la gente, che lo vedeva così spesso vicino alla giovane, o che lo udiva parlare di lei con libertà, incominciò a dire che lui era nelle sue grazie e a raccontare, come spesso avviene, mille *storielle* e a credere che lei ne fosse veramente innamorata.

Quando la donna si accorse di ciò, ci rimase molto male, e decise di liberarsi sia del *fastidio* che riceveva da Capodoca che delle *dicerie* della gente. Per questo, quando si ritrovò un giorno sola con lui, che non cessava mai di dirle che l'amava più dei propri occhi, e che era oramai tempo che lei mostrasse con qualche segno di corrispondere a tanto amore, la donna finse di gettare un *sospiro* così profondo che pareva uscito dal fondo del cuore e gli parlò in questo modo: "Sa il cielo se io *vi* amo in modo sincero e se io desidero più di ogni altra cosa al mondo di essere amata da voi; però io non sono tanto cieca da dare il mio amore ad una persona che non mi desse prove più sicure del suo amore di quante voi non me ne abbiate date fino ad oggi. Io non nego che voi fino ad oggi mi abbiate parlato *continuamente* e molto *familiarmente* del vostro amore, e che con il vostro

storiella storia breve e, spesso, divertente
fastidio atto del disturbare
diceria storia, discorso non vero e spesso cattivo
sospiro respiro lungo e profondo che è accompagnato da un leggero rumore
vi voi; "voi" è un'antica forma di cortesia usata invece del Lei; nel Sud dell'Italia, ancora oggi, il suo uso è abbastanza comune
continuamente in modo continuo
familiarmente in modo intimo e familiare

modo di vestire elegante e l'attenzione al vostro aspetto mi abbiate dimostrato che fate di tutto per essere caro ai miei occhi; e io so che questi atteggiamenti su molte donne hanno maggiore influenza di quanta forse dovrebbero averne: ma questi sono tutti segni esterni, ottenuti alcuni comprando vestiti dal *sarto*, altri andando dal *parrucchiere* o da altre persone di questo tipo.

Perciò, se volete il mio amore, io voglio che voi mi diciate, come sacrificio alla mia volontà, il nome di tutte le innamorate che avete avuto prima di me, e che voi mi portiate tutte le lettere, fogli, documenti e tutto ciò che avete ricevuto da quelle."

Il giovane, tutto contento, se ne andò *baldanzoso* perché, in un solo colpo, acquistava la grazia della donna sua e soddisfaceva la sua vuota *ambizione*. Così per prima cosa incominciò a darle una lista che non aveva mai fine di *Margherite*, di *Angiole*, di *Mattee* e di *Cecilie* e, quanto alle lettere, promise che gliele avrebbe portate subito: infatti, l'andare a casa e il ritornare come un *corriere* pieno di fogli, avvenne quasi nello stesso tempo.

La donna gli andò incontro, mentre lui tutto contento faceva già *sventolare* le carte mezze aperte, e già *allungava* il braccio per presentargliele e, nello stesso tempo, baciarle la mano.

Ma la giovane cambiò l'espressione del viso che, da *piacevole,* divenne dura e seria, e gli disse: "Non piac-

---

sarto chi, per mestiere, fa i vestiti
parrucchiere chi, per mestiere, taglia e pettina i capelli, specialmente alle donne
baldanzoso qui, sicuro di sé
ambizione forte desiderio di ottenere qualcosa
Margherita, Angiola, Mattea, Cecilia nomi di donna
corriere chi ha il compito di portare lettere, oggetti, notizie, ecc.
sventolare muovere qualcosa in aria in modo da produrre vento
allungare qui, stendere le mani in avanti
piacevole che dà piacere

cia al cielo che io sia tanto stupida da volere entrare a far parte della lista delle vostre Margherite e delle vostre Mattee; né che io veda quelle lettere che altre donne pagherebbero un occhio per non avervi mai scritto, se solo sapessero che voi usate loro così bella *discrezione*. Quelle numerose *promesse* di *segretezza* e di fede che voi certamente avrete fatto loro, sono in questo momento andate al vento, né io mi ritengo tanto

discrezione qui, riservatezza, capacità di mantenere un segreto o una confidenza
promessa l'atto del promettere
segretezza caratteristica di chi è segreto

speciale da pensare che un giorno sarei, fra tutte, tratta-
ta in modo diverso e migliore."

Detto questo, gli volse le spalle e lo lasciò *dolente a
morte* di non aver saputo né tacere, né usare quella discrezione, che comunque lui non userà neppure in seguito, perché il *lupo perde il pelo ma non il vizio*.

lupo

dolente a morte molto triste
pelo ciò che copre il corpo di un animale
vizio abitudine, comportamento negativo, cattivo, per es. il vizio del fumo
il lupo perde il pelo ma non il vizio (proverbio) vuol dire che alcune persone
continuano a compiere azioni cattive o sbagliate, anche se sono diventate vecchie e hanno già altre volte pagato per quelle azioni

42

Esercizi

1. Vero / Falso

Capodoca è un uomo...   V   F

1. di grande intelligenza.   ❑ ❑

2. che fa tutto con molta attenzione.   ❑ ❑

3. che sa mantenere i segreti.   ❑ ❑

4. che si vanta di quello che fa.   ❑ ❑

5. più sottile e acuto di Ficino.   ❑ ❑

6. che non cura l'aspetto esteriore.   ❑ ❑

7. che ha avuto molte innamorate.   ❑ ❑

8. che commette sempre gli stessi errori.   ❑ ❑

9. timido.   ❑ ❑

10. ambizioso.   ❑ ❑

2. Riempi gli spazi vuoti

Sa il cielo se io vi amo in modo sincero e se io _____ più di ogni altra cosa al _____ di essere amata da voi; però _____ non sono tanto cieca da dare _____ mio amore ad una persona che _____ mi desse prove più sicure del _____ amore di quante non me ne _____ date sino ad oggi. Io non _____ che voi fino ad oggi mi _____ parlato continuamente e molto familiarmente del _____ amore, e che con il vostro _____ di vestire elegante e l'attenzione al _____ aspetto mi abbiate dimostrato che fate _____ tutto per essere caro ai miei _____; e io so che questi atteggiamenti _____ molte donne hanno maggiore influenza di _____ forse dovrebbero averne: ma questi sono _____ segni esterni, ottenuti alcuni comprando vestiti _____ sarto, altri andando dal parrucchiere o _____ altre persone di questo tipo.

Perciò _____ voglio, se volete il mio amore, _____ sacrificio alla mia volontà, che voi _____ diciate il nome di tutte le _____ che avete avuto prima di me, _____ che voi mi portiate tutte le _____, fogli, documenti e tutto ciò che _____ ricevuto da quelle.

3. Trova parole o frasi nel testo che abbiano lo stesso significato delle seguenti:

1. ovunque

   _____

2. rendersi conto

   _____

3. godere del favore di qualcuno

   _____

4. fare finta

   _____

5. non vederci

   _____

6. dire che una cosa non è vera

   _____

7. modo di fare

   _____

8. fiducia

   _____

9. non parlare

   _____

10. poco intelligente

   _____

4. Completa le frasi con gli articoli maschili o femminili, in base al contesto, come nell'esempio:

> Si innamorò di *una* giovane che tutti considera-vano bella e gentile.
> Michele è *un* giovane alto e magro.

Ricorda che in italiano alcuni nomi hanno un'unica forma sia per il maschile che per il femminile.

1. Ho parlato con _____ nipote di Angelo: è una bella ragazza interessante.

2. Quest'anno abbiamo _____ nuova preside.

3. Luca è _____ pianista eccezionale.

4. _____ mio collega di lavoro ha deciso di scioperare.

5. Ieri si è sposata _____ parente di mia moglie.

6. E' venuto _____ giornalista a farmi domande sull'incidente.

7. _____ insegnante di latino è molto preparata.

8. Purtroppo _____ custode della scuola ha perso la moglie in un incidente.

9. La polizia ha trovato _____ omicida e lo ha arrestato.

10. Ramazzotti è _____ cantante molto famoso sia in Italia che all'estero.

11. Nel passato è stata _____ grande atleta.

12. _____ artista che ha dipinto questo quadro si è trasferito in un'altra città.

5. Sostituisci le espressioni sottolineate con il gerundio

> Con il comprare vestiti avete cercato di mostrarvi caro ai miei occhi.
> *Comprando* vestiti avete cercato di mostrarvi caro ai miei occhi.

1. Quando mancava lei, gli sembrava ci fosse solitudine e buio.

   _____

2. La giovane spesso rideva mentre parlava con Capodoca.

   _____

3. Poiché sapeva che Capodoca aveva avuto molte donne, gli chiese di vedere le lettere ricevute da queste.

   _____

4. Capodoca ritornò di corsa con le lettere.

   _____

5. La giovane rifiutò Capodoca col dire che lui aveva mostrato poca discrezione.

   _____

6. Solo <u>se studierai</u> potrai superare l'esame.

_____

7. Ho incontrato un mio vecchio amico <u>mentre andavo</u> a cinema.

_____

8. Cosa bevi, di solito, <u>mentre mangi</u>?

_____

9. <u>Se continui</u> a mangiare tanto, ingrasserai di certo.

_____

10. <u>Con la lettura</u> si imparano molte parole nuove.

_____

6. Completa le frasi con i seguenti nomi:

> *bocca* (3 volte) - *calcagna* - *capelli* (2 v.) -
> *collo* - *dente* - *denti* - *gamba* - *gambe* - *lingua*
> (2 v.) - *occhi* - *occhio* (2 v.) - *orecchie* (2 v.)

1. Gli italiani mangiano gli spaghetti al _____ .

2. Smettila di seguirmi! Mi stai sempre alle _____ .

3. Acqua in _____ ! E' un segreto.

4. Non ho chiuso _____ tutta la notte a causa dei rumori.

5. Ho quel nome sulla punta della _____ ma non riesco a ricordarlo!

6. Quell'uomo non ha peli sulla _____ , parla sempre in modo sincero.

7. L'esame è andato male: non ho aperto _____ .

8. Che buon profumo! Mi viene l'acquolina in _____ .

9. Mi sono proprio stancata! Ne ho fin sopra i _____ dei vostri stupidi scherzi.

10. Giovanni sa fare di tutto: è veramente un ragazzo in _____ .

11. Quando è arrivata la polizia, i ladri se la sono data a _____ .

12. Apri bene le _____ perché è l'ultima volta che te lo ripeto.

13. Sembrava che non guardasse, ma in realtà aveva visto tutto con la coda dell' _____ .

14. Conosco così bene Roma che potrei muovermi a _____ chiusi.

15. Qui è meglio non parlare di questo fatto: anche i muri hanno le _____ .

16. A causa di quell'incidente ora sono nei guai fino al _____ .

17. La discussione si è fatta così accesa che si sono quasi presi per i _____ .

18. Mi sono difesa con le unghie e con i _____ .

7. Quale delle due forme plurali è quella giusta?

1. A causa dell'incidente ora soffre di forti dolori (ai bracci, alle braccia).

2. Quel fiume si divide in due (bracci, braccia) prima di raggiungere il mare.

3. Le tue calze di lana hanno grossi buchi (sui calcagni, sulle calcagna).

4. Quando vuole ottenere qualcosa mi sta sempre (ai calcagni, alle calcagna).

5. (Gli ossi, Le ossa) degli anziani si rompono facilmente.

6. (Gli ossi, Le ossa) sono il cibo preferito dei cani.

7. Lungo (i cigli, le ciglia) delle strade di campagna si trovano molti fiori.

8. Alcune donne usano dei cosmetici per allungare (i cigli, le ciglia).

9. Cadendo mi sono rotta due (diti, dita).

10. (I diti, Le dita) della mano sono dieci.

11. E' proibito scrivere (sui muri, sulle mura).

12. A Siena è possibile vedere (i muri, le mura) della città medioevale.

13. Gli italiani usano molto (i gesti, le gesta) per comunicare.

14. Tutti conoscono (i gesti, le gesta) degli antichi eroi.

15. (I fondamenti, Le fondamenta) di un edificio sono la prima cosa che si costruisce.

16. Galileo Galilei ha posto (i fondamenti, le fondamenta) dell'astronomia.

17. Avevo 16 anni quando ho baciato per la prima volta un uomo (sui labbri, sulle labbra).

18. Pierluigi si è fatto male cadendo dalla bici: in ospedale gli hanno cucito (i labbri, le labbra) della ferita.

8. Completa con le forme del congiuntivo passato dei verbi in parentesi

1. Voglio più prove del vostro amore di quante voi me ne _____ (dare) fino ad oggi.

2. Credo che voi non _____ (usare) molta discrezione con le vostre innamorate precedenti.

3. Mi meraviglio che tu non gli _____ (rispondere) quando lui ti ha accusata.

4. Mi auguro che tu ieri _____ (studiare) il congiuntivo passato.

5. Temo che lo scorso Natale voi _____ (dimenticare) di mandarle gli auguri.

6. Si dice che _____ (vendere) l'intero edificio ad un prezzo molto basso.

7. Dubito che _____ (riuscire) a superare l'esame. Avevano studiato veramente troppo poco.

8. E' strano che Marcella, quella volta in montagna, _____ (sentirsi) a disagio a causa mia.

9. Non capisco perché tu non _____ (confidarsi) con me: sapevi che potevi fidarti di me!

10. Perché Cecilia non è venuta con voi?
    Credo che _____ (uscire) tardi dall'ufficio.

Chiavi

La risposta della serva

Esercizio 1

1.a 2.b 3.c.

Esercizio 2

1. Perché borbottava per ogni cosa; niente era come lui avrebbe voluto.
2. Perché nessuno voleva parlare con lui e/o ascoltarlo.
3. Perché non era abituata a ricevere gentilezze dal marito.
4. In tre modi: lesso, arrostito e in tegame con una salsa.
5. Scherzava con il suo bambino e lo vezzeggiava.
6. Doveva essere arrostito.
7. Era caldo, infatti il piatto fumava ancora.
8. Che ha sprecato i suoi soldi in quanto il pesce è stato cucinato male e non si può mangiare.

Esercizio 3

bussò/bussare, scese/scendere, domandò/domandare, rispose/rispondere, sparì/sparire, tornò/tornare, gridò/gridare, disse/dire, parve/parere, fu/essere, sembrò/sembrare, prese/prendere, tagliò/tagliare, mise/mettere, preparò/preparare, sentirono/sentire, si tesero/tendersi, si aprì/aprirsi, andò/andare, corse/correre, appallottolò/appallottolare, gettò/gettare, stese/stendere, apparecchiò/apparecchiare, salì/salire, si sedettero/sedersi, cominciò/cominciare, allontanò/allontanare, arrivarono/arrivare, guardò/guardare, strinse/stringere, alzò/alzare, sbuffò/sbuffare, venne/venire, presentò/presentare, mancò/mancare.

Esercizio 4

1. si sfoga 2. calmarti 3. si sono scotti 4. ci sforziamo 5. Si accomodi 6. vi spogliate 7. Tieniti 8. mi confido 9. Ci dedichiamo 10. vergognarvi.

Esercizio 5
1. ha   2. è   3. hanno   4. è   5. ha   6. è   7. sono   8. ha   9. siete
10. avete.

Esercizio 6
Non c'è chiave perché le risposte sono libere.

Esercizio 7
1. volesse   2. desiderasse   3. avesse   4. piangesse   5. sapesse   6.
arrivassero   7. mangiassero   8. parlaste   9. frequentassi   10. foste.

Esercizio 8
1. sia   2. andasse   3. fossi   4. possa   5. stai   6. debba   7. finge   8.
capisce   9. era   10. invitaste.

Esercizio 9
1.d   2.f   3.g   4.l   5.i   6.c   7.a   8.b   9.h   10.e.

Esercizio 10
1. è rimasta   2. arriccia   3. aggrottare   4. ha strizzato   5. strinse   6.
digrigni   7. sbuffare   8. alzo.

Esercizio 11
1. salire + scendere   2. dormire + vegliare   3. pigiare + pigiare   4.
andare + venire   5. parare + pigliare   6. fuggire + fuggire   7. mangiare + bere   8. tirare + mollare.

Novella d'amore

Esercizio 1
Vero: 4, 5, 7, 8, 10. Falso: 1, 2, 3, 6, 9.

Esercizio 2
desidero; mondo; io; il; non; suo; abbiate; nego; abbiate; vostro, modo; vostro; di; occhi; su; quanta; tutti; dal; da; io; come; mi; innamorate; e; lettere; avete.

Esercizio 3
1. in ogni posto 2. accorgersi 3. essere nelle grazie 4. fingere 5. essere cieco 6. negare 7. atteggiamento 8. fede 9. tacere 10. stupido.

Esercizio 4
1. la/una 2. una/la 3. un 4. Un/Il 5. una/la 6. un/il 7. L' (La) 8. il 9. l' (lo) 10. un 11. una 12. L' (Lo).

Esercizio 5
1. Mancando 2. parlando 3. Sapendo 4. correndo 5. dicendo 6. studiando 7. andando 8. mangiando 9. Continuando 10. Leggendo.

Esercizio 6
1. dente 2. calcagna 3. bocca 4. occhio 5. lingua 6. lingua 7. bocca 8. bocca 9. capelli 10. gamba 11. gambe 12. orecchie 13. occhio 14. occhi 15. orecchie 16. collo 17. capelli 18. denti.

Esercizio 7

1. alle braccia 2. bracci 3. sui calcagni 4. alle calcagna 5. Le ossa 6. Gli ossi 7. i cigli 8. le ciglia 9. diti 10. Le dita 11. sui muri 12. le mura 13. i gesti 14. le gesta 15. Le fondamenta 16. i fondamenti 17. sulle labbra 18. i labbri.

Esercizio 8

1. abbiate dato/e 2. abbiate usato 3. abbia risposto 4. abbia studiato 5. abbiate dimenticato 6. abbia venduto 7. siano riusciti 8. si sia sentita 9. ti sia confidato/a 10. sia uscita.

Finito di stampare
nel mese di febbraio 1998
da Guerra guru s.r.l. - Perugia